Hoopoe

Cockatoo

Bee eater Bird

Tucan

Flamingo

Macaw

This Book Belongs To

_____

_____

PHOTO / SKETCH

LOCATION

LOCATION NAME

GPS COORDINATES

WEATHER CONDITIONS

MONTH SPOTTED

J	F	M	A	M	J	J	A	S	O	N	D

HEAD

SPECIES

SEX / AGE

BEHAVIOR

VOICE

BODY

LEGS / FEET

HABITAT

ADDITIONAL NOTES

PHOTO / SKETCH

LOCATION

LOCATION NAME _____

GPS COORDINATES _____

HEAD

SPECIES _____

SEX / AGE _____

BEHAVIOR _____

VOICE _____

BODY _____

LEGS / FEET _____

HABITAT _____

WEATHER CONDITIONS

ADDITIONAL NOTES _____

_____

_____

_____

_____

_____

MONTH SPOTTED

J	F	M	A	M	J	J	A	S	O	N	D

PHOTO / SKETCH

LOCATION

LOCATION NAME

GPS COORDINATES

WEATHER CONDITIONS

MONTH SPOTTED

	J	F	M	A	M	J	J	A	S	O	N	D

HEAD

SPECIES

SEX / AGE

BEHAVIOR

VOICE

BODY

LEGS / FEET

HABITAT

ADDITIONAL NOTES

PHOTO / SKETCH

LOCATION

LOCATION NAME _____

GPS COORDINATES _____

WEATHER CONDITIONS

🌡 —— ☀ ⛅ 🌧 ⛈ ❄
🎐 —— ☐ ☐ ☐ ☐ ☐

MONTH SPOTTED

J	F	M	A	M	J	J	A	S	O	N	D

HEAD

SPECIES _____

SEX / AGE _____

BEHAVIOR _____

VOICE _____

BODY _____

LEGS / FEET _____

HABITAT _____

ADDITIONAL NOTES _____

_____

_____

_____

_____

_____

LOCATION

LOCATION NAME _____

GPS COORDINATES _____

WEATHER CONDITIONS

MONTH SPOTTED

J	F	M	A	M	J	J	A	S	O	N	D

HEAD

SPECIES _____

SEX / AGE _____

BEHAVIOR _____

VOICE _____

BODY _____

LEGS / FEET _____

HABITAT _____

ADDITIONAL NOTES _____

_____

_____

_____

_____

_____

PHOTO / SKETCH

LOCATION

LOCATION NAME ....

GPS COORDINATES ....

WEATHER CONDITIONS

MONTH SPOTTED

	J	F	M	A	M	J	J	A	S	O	N	D

HEAD

SPECIES ....

SEX / AGE ....

BEHAVIOR ....

VOICE ....

BODY ....

LEGS / FEET ....

HABITAT ....

ADDITIONAL NOTES ....

....

....

....

....

....

PHOTO / SKETCH

LOCATION

LOCATION NAME --

GPS COORDINATES --

WEATHER CONDITIONS

MONTH SPOTTED

J	F	M	A	M	J	J	A	S	O	N	D

HEAD

SPECIES --

SEX / AGE --

BEHAVIOR --

VOICE --

BODY --

LEGS / FEET --

HABITAT --

ADDITIONAL NOTES --

PHOTO / SKETCH

LOCATION

LOCATION NAME

GPS COORDINATES

WEATHER CONDITIONS

MONTH SPOTTED

J	F	M	A	M	J	J	A	S	O	N	D

HEAD

SPECIES

SEX / AGE

BEHAVIOR

VOICE

BODY

LEGS / FEET

HABITAT

ADDITIONAL NOTES

PHOTO / SKETCH

LOCATION

LOCATION NAME _____

GPS COORDINATES _____

WEATHER CONDITIONS

MONTH SPOTTED

	J	F	M	A	M	J	J	A	S	O	N	D

HEAD

SPECIES _____

SEX / AGE _____

BEHAVIOR _____

VOICE _____

BODY _____

LEGS / FEET _____

HABITAT _____

ADDITIONAL NOTES _____

_____

_____

_____

_____

_____

PHOTO / SKETCH

LOCATION

LOCATION NAME ....

GPS COORDINATES ....

WEATHER CONDITIONS

MONTH SPOTTED

	J	F	M	A	M	J	J	A	S	O	N	D

HEAD

SPECIES ....

SEX / AGE ....

BEHAVIOR ....

VOICE ....

BODY ....

LEGS / FEET ....

HABITAT ....

ADDITIONAL NOTES ....

....

....

....

....

....

PHOTO / SKETCH

LOCATION

LOCATION NAME ....

GPS COORDINATES ....

WEATHER CONDITIONS

MONTH SPOTTED

J	F	M	A	M	J	J	A	S	O	N	D

HEAD

SPECIES ....

SEX / AGE ....

BEHAVIOR ....

VOICE ....

BODY ....

LEGS / FEET ....

HABITAT ....

ADDITIONAL NOTES ....

....

....

....

....

....

PHOTO / SKETCH

LOCATION

HEAD

SPECIES _____

SEX / AGE _____

BEHAVIOR _____

VOICE _____

LOCATION NAME _____

BODY _____

GPS COORDINATES _____

LEGS / FEET _____

HABITAT _____

WEATHER CONDITIONS

ADDITIONAL NOTES _____

_____

_____

MONTH SPOTTED

	J	F	M	A	M	J	J	A	S	O	N	D

PHOTO / SKETCH

LOCATION

LOCATION NAME _____

GPS COORDINATES _____

WEATHER CONDITIONS

MONTH SPOTTED

	J	F	M	A	M	J	J	A	S	O	N	D

HEAD

SPECIES _____

SEX / AGE _____

BEHAVIOR _____

VOICE _____

BODY _____

LEGS / FEET _____

HABITAT _____

ADDITIONAL NOTES _____

_____

_____

_____

_____

_____

PHOTO / SKETCH

LOCATION

HEAD

SPECIES ....

SEX / AGE ....

BEHAVIOR ....

VOICE ....

LOCATION NAME ....

BODY ....

GPS COORDINATES ....

LEGS / FEET ....

HABITAT ....

WEATHER CONDITIONS

ADDITIONAL NOTES ....

....

....

....

MONTH SPOTTED

J	F	M	A	M	J	J	A	S	O	N	D

PHOTO / SKETCH

LOCATION

LOCATION NAME _____

GPS COORDINATES _____

HEAD

SPECIES _____

SEX / AGE _____

BEHAVIOR _____

VOICE _____

BODY _____

LEGS / FEET _____

HABITAT _____

WEATHER CONDITIONS

ADDITIONAL NOTES

_____

_____

_____

_____

_____

MONTH SPOTTED

	J	F	M	A	M	J	J	A	S	O	N	D

PHOTO / SKETCH

LOCATION

LOCATION NAME ----------------------------------

GPS COORDINATES ----------------------------------

WEATHER CONDITIONS

MONTH SPOTTED

	J	F	M	A	M	J	J	A	S	O	N	D	

HEAD

SPECIES ----------------------------------

SEX / AGE ----------------------------------

BEHAVIOR ----------------------------------

VOICE ----------------------------------

BODY ----------------------------------

LEGS / FEET ----------------------------------

HABITAT ----------------------------------

ADDITIONAL NOTES ----------------------------------

PHOTO / SKETCH

LOCATION

LOCATION NAME _____

GPS COORDINATES _____

WEATHER CONDITIONS

MONTH SPOTTED

J	F	M	A	M	J	J	A	S	O	N	D

HEAD

SPECIES _____

SEX / AGE _____

BEHAVIOR _____

VOICE _____

BODY _____

LEGS / FEET _____

HABITAT _____

ADDITIONAL NOTES _____

_____

_____

_____

_____

_____

PHOTO / SKETCH

LOCATION

LOCATION NAME

GPS COORDINATES

WEATHER CONDITIONS

MONTH SPOTTED

	J	F	M	A	M	J	J	A	S	O	N	D

HEAD

SPECIES

SEX / AGE

BEHAVIOR

VOICE

BODY

LEGS / FEET

HABITAT

ADDITIONAL NOTES

PHOTO / SKETCH

LOCATION

LOCATION NAME ....

GPS COORDINATES ....

WEATHER CONDITIONS

MONTH SPOTTED

J	F	M	A	M	J	J	A	S	O	N	D

HEAD

SPECIES ....

SEX / AGE ....

BEHAVIOR ....

VOICE ....

BODY ....

LEGS / FEET ....

HABITAT ....

ADDITIONAL NOTES ....
....
....
....
....
....

PHOTO / SKETCH

LOCATION

LOCATION NAME

GPS COORDINATES

WEATHER CONDITIONS

MONTH SPOTTED

	J	F	M	A	M	J	J	A	S	O	N	D

HEAD

SPECIES

SEX / AGE

BEHAVIOR

VOICE

BODY

LEGS / FEET

HABITAT

ADDITIONAL NOTES

PHOTO / SKETCH

LOCATION

LOCATION NAME _____

GPS COORDINATES _____

WEATHER CONDITIONS

MONTH SPOTTED

	J	F	M	A	M	J	J	A	S	O	N	D

HEAD

SPECIES _____

SEX / AGE _____

BEHAVIOR _____

VOICE _____

BODY _____

LEGS / FEET _____

HABITAT _____

ADDITIONAL NOTES _____

_____

_____

_____

_____

_____

PHOTO / SKETCH

LOCATION

LOCATION NAME

GPS COORDINATES

WEATHER CONDITIONS

MONTH SPOTTED

J	F	M	A	M	J	J	A	S	O	N	D

HEAD

SPECIES

SEX / AGE

BEHAVIOR

VOICE

BODY

LEGS / FEET

HABITAT

ADDITIONAL NOTES

PHOTO / SKETCH

LOCATION

LOCATION NAME _____

GPS COORDINATES _____

HEAD

SPECIES _____

SEX / AGE _____

BEHAVIOR _____

VOICE _____

BODY _____

LEGS / FEET _____

HABITAT _____

WEATHER CONDITIONS

ADDITIONAL NOTES _____

_____

_____

_____

_____

_____

MONTH SPOTTED

J	F	M	A	M	J	J	A	S	O	N	D

PHOTO / SKETCH

LOCATION

HEAD

SPECIES ....

SEX / AGE ....

BEHAVIOR ....

VOICE ....

LOCATION NAME ....

BODY ....

GPS COORDINATES ....

LEGS / FEET ....

HABITAT ....

WEATHER CONDITIONS

ADDITIONAL NOTES ....

....

....

....

....

....

MONTH SPOTTED

J	F	M	A	M	J	J	A	S	O	N	D

PHOTO / SKETCH

LOCATION

LOCATION NAME _____

GPS COORDINATES _____

WEATHER CONDITIONS

MONTH SPOTTED

J	F	M	A	M	J	J	A	S	O	N	D

HEAD

SPECIES _____

SEX / AGE _____

BEHAVIOR _____

VOICE _____

BODY _____

LEGS / FEET _____

HABITAT _____

ADDITIONAL NOTES _____

_____

_____

_____

_____

_____

PHOTO / SKETCH

LOCATION

LOCATION NAME _____

GPS COORDINATES _____

WEATHER CONDITIONS

MONTH SPOTTED

J	F	M	A	M	J	J	A	S	O	N	D

HEAD

SPECIES _____

SEX / AGE _____

BEHAVIOR _____

VOICE _____

BODY _____

LEGS / FEET _____

HABITAT _____

ADDITIONAL NOTES _____

_____

_____

_____

_____

_____

PHOTO / SKETCH

LOCATION

LOCATION NAME _____

GPS COORDINATES _____

HEAD

SPECIES _____

SEX / AGE _____

BEHAVIOR _____

VOICE _____

BODY _____

LEGS / FEET _____

HABITAT _____

WEATHER CONDITIONS

ADDITIONAL NOTES _____

_____

_____

_____

_____

_____

MONTH SPOTTED

J	F	M	A	M	J	J	A	S	O	N	D

PHOTO / SKETCH

LOCATION

HEAD

SPECIES

SEX / AGE

BEHAVIOR

VOICE

LOCATION NAME

BODY

GPS COORDINATES

LEGS / FEET

HABITAT

WEATHER CONDITIONS

ADDITIONAL NOTES

MONTH SPOTTED

	J	F	M	A	M	J	J	A	S	O	N	D

PHOTO / SKETCH

LOCATION

LOCATION NAME _____

GPS COORDINATES _____

HEAD

SPECIES _____

SEX / AGE _____

BEHAVIOR _____

VOICE _____

BODY _____

LEGS / FEET _____

HABITAT _____

ADDITIONAL NOTES _____

_____

_____

_____

_____

_____

WEATHER CONDITIONS

MONTH SPOTTED

	J	F	M	A	M	J	J	A	S	O	N	D

PHOTO / SKETCH

LOCATION

LOCATION NAME _____

GPS COORDINATES _____

MONTH SPOTTED

J	F	M	A	M	J	J	A	S	O	N	D

HEAD

SPECIES _____

SEX / AGE _____

BEHAVIOR _____

VOICE _____

BODY _____

LEGS / FEET _____

HABITAT _____

ADDITIONAL NOTES _____

_____

_____

_____

_____

_____

PHOTO / SKETCH

LOCATION

LOCATION NAME

GPS COORDINATES

WEATHER CONDITIONS

MONTH SPOTTED

	J	F	M	A	M	J	J	A	S	O	N	D

HEAD

SPECIES

SEX / AGE

BEHAVIOR

VOICE

BODY

LEGS / FEET

HABITAT

ADDITIONAL NOTES

PHOTO / SKETCH

LOCATION

LOCATION NAME _____

GPS COORDINATES _____

WEATHER CONDITIONS

MONTH SPOTTED

J	F	M	A	M	J	J	A	S	O	N	D

HEAD

SPECIES _____

SEX / AGE _____

BEHAVIOR _____

VOICE _____

BODY _____

LEGS / FEET _____

HABITAT _____

ADDITIONAL NOTES _____
_____
_____
_____
_____
_____

PHOTO / SKETCH

LOCATION

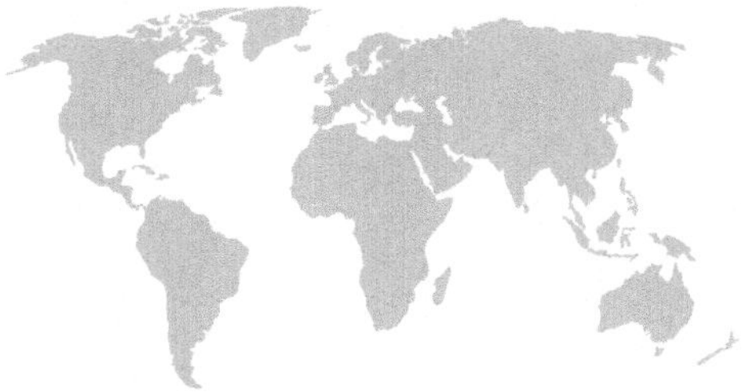

LOCATION NAME _____

GPS COORDINATES _____

WEATHER CONDITIONS

MONTH SPOTTED

J	F	M	A	M	J	J	A	S	O	N	D

HEAD

SPECIES _____

SEX / AGE _____

BEHAVIOR _____

VOICE _____

BODY _____

LEGS / FEET _____

HABITAT _____

ADDITIONAL NOTES _____

_____

_____

_____

_____

_____

PHOTO / SKETCH

LOCATION

LOCATION NAME ....

GPS COORDINATES ....

WEATHER CONDITIONS

MONTH SPOTTED

J	F	M	A	M	J	J	A	S	O	N	D

HEAD

SPECIES ....

SEX / AGE ....

BEHAVIOR ....

VOICE ....

BODY ....

LEGS / FEET ....

HABITAT ....

ADDITIONAL NOTES ....

....

....

....

....

....

PHOTO / SKETCH

LOCATION

LOCATION NAME ----------------------------------

GPS COORDINATES ----------------------------------

WEATHER CONDITIONS

MONTH SPOTTED

	J	F	M	A	M	J	J	A	S	O	N	D

HEAD

SPECIES ----------------------------------

SEX / AGE ----------------------------------

BEHAVIOR ----------------------------------

VOICE ----------------------------------

BODY ----------------------------------

LEGS / FEET ----------------------------------

HABITAT ----------------------------------

ADDITIONAL NOTES ----------------------------------

PHOTO / SKETCH

LOCATION

LOCATION NAME _____

GPS COORDINATES _____

WEATHER CONDITIONS

MONTH SPOTTED

J	F	M	A	M	J	J	A	S	O	N	D

HEAD

SPECIES _____

SEX / AGE _____

BEHAVIOR _____

VOICE _____

BODY _____

LEGS / FEET _____

HABITAT _____

ADDITIONAL NOTES _____

_____

_____

_____

_____

_____

PHOTO / SKETCH

LOCATION

LOCATION NAME

GPS COORDINATES

WEATHER CONDITIONS

MONTH SPOTTED

J	F	M	A	M	J	J	A	S	O	N	D

HEAD

SPECIES

SEX / AGE

BEHAVIOR

VOICE

BODY

LEGS / FEET

HABITAT

ADDITIONAL NOTES

PHOTO / SKETCH

LOCATION

LOCATION NAME ....

GPS COORDINATES ....

WEATHER CONDITIONS

MONTH SPOTTED

J	F	M	A	M	J	J	A	S	O	N	D

HEAD

SPECIES ....

SEX / AGE ....

BEHAVIOR ....

VOICE ....

BODY ....

LEGS / FEET ....

HABITAT ....

ADDITIONAL NOTES ....

....

....

....

....

....

PHOTO / SKETCH

LOCATION

LOCATION NAME ----------------------------------

GPS COORDINATES ----------------------------------

HEAD

SPECIES --

SEX / AGE --------------------------------------

BEHAVIOR --------------------------------------

VOICE ---

BODY --

LEGS / FEET ------------------------------------

HABITAT ---------------------------------------

WEATHER CONDITIONS

ADDITIONAL NOTES

MONTH SPOTTED

J	F	M	A	M	J	J	A	S	O	N	D

PHOTO / SKETCH

LOCATION

LOCATION NAME _____

GPS COORDINATES _____

WEATHER CONDITIONS

MONTH SPOTTED

J	F	M	A	M	J	J	A	S	O	N	D

HEAD

SPECIES _____

SEX / AGE _____

BEHAVIOR _____

VOICE _____

BODY _____

LEGS / FEET _____

HABITAT _____

ADDITIONAL NOTES _____

_____

_____

_____

_____

_____

PHOTO / SKETCH

LOCATION

HEAD

SPECIES ------------------------------------

SEX / AGE ------------------------------------

BEHAVIOR ------------------------------------

VOICE ------------------------------------

LOCATION NAME ------------------------------------

BODY ------------------------------------

GPS COORDINATES ------------------------------------

LEGS / FEET ------------------------------------

HABITAT ------------------------------------

WEATHER CONDITIONS

ADDITIONAL NOTES ------------------------------------

MONTH SPOTTED

J	F	M	A	M	J	J	A	S	O	N	D

PHOTO / SKETCH

LOCATION

LOCATION NAME -

GPS COORDINATES -

WEATHER CONDITIONS

MONTH SPOTTED

J	F	M	A	M	J	J	A	S	O	N	D

HEAD

SPECIES -

SEX / AGE -

BEHAVIOR -

VOICE -

BODY -

LEGS / FEET -

HABITAT -

ADDITIONAL NOTES -

- -

- -

- -

- -

- -

PHOTO / SKETCH

LOCATION

LOCATION NAME

GPS COORDINATES

WEATHER CONDITIONS

MONTH SPOTTED

J	F	M	A	M	J	J	A	S	O	N	D

HEAD

SPECIES

SEX / AGE

BEHAVIOR

VOICE

BODY

LEGS / FEET

HABITAT

ADDITIONAL NOTES

PHOTO / SKETCH

LOCATION

LOCATION NAME _____

GPS COORDINATES _____

HEAD

SPECIES _____

SEX / AGE _____

BEHAVIOR _____

VOICE _____

BODY _____

LEGS / FEET _____

HABITAT _____

WEATHER CONDITIONS

ADDITIONAL NOTES

_____

_____

_____

_____

_____

_____

MONTH SPOTTED

J	F	M	A	M	J	J	A	S	O	N	D

PHOTO / SKETCH

LOCATION

LOCATION NAME _____

GPS COORDINATES _____

WEATHER CONDITIONS

🌡 _____   ☀ ⛅ 🌧 ⛈ ❄

🎏 _____   ☐ ☐ ☐ ☐ ☐

MONTH SPOTTED

J	F	M	A	M	J	J	A	S	O	N	D

HEAD

SPECIES _____

SEX / AGE _____

BEHAVIOR _____

VOICE _____

BODY _____

LEGS / FEET _____

HABITAT _____

ADDITIONAL NOTES _____

_____

_____

_____

_____

_____

LOCATION

LOCATION NAME ....

GPS COORDINATES ....

WEATHER CONDITIONS

MONTH SPOTTED

	J	F	M	A	M	J	J	A	S	O	N	D

HEAD

SPECIES ....

SEX / AGE ....

BEHAVIOR ....

VOICE ....

BODY ....

LEGS / FEET ....

HABITAT ....

ADDITIONAL NOTES ....

....

....

....

....

....

PHOTO / SKETCH

LOCATION

HEAD

SPECIES ....

SEX / AGE ....

BEHAVIOR ....

VOICE ....

LOCATION NAME ....

BODY ....

GPS COORDINATES ....

LEGS / FEET ....

HABITAT ....

WEATHER CONDITIONS

ADDITIONAL NOTES ....

MONTH SPOTTED

J	F	M	A	M	J	J	A	S	O	N	D

PHOTO / SKETCH

LOCATION

LOCATION NAME

GPS COORDINATES

HEAD

SPECIES

SEX / AGE

BEHAVIOR

VOICE

BODY

LEGS / FEET

HABITAT

WEATHER CONDITIONS

ADDITIONAL NOTES

MONTH SPOTTED

J	F	M	A	M	J	J	A	S	O	N	D

PHOTO / SKETCH

LOCATION

LOCATION NAME _____

GPS COORDINATES _____

WEATHER CONDITIONS

☐ ☐ ☐ ☐ ☐

MONTH SPOTTED

	J	F	M	A	M	J	J	A	S	O	N	D

HEAD

SPECIES _____

SEX / AGE _____

BEHAVIOR _____

VOICE _____

BODY _____

LEGS / FEET _____

HABITAT _____

ADDITIONAL NOTES _____

_____

_____

_____

_____

_____

PHOTO / SKETCH

LOCATION

LOCATION NAME --

GPS COORDINATES --

HEAD

SPECIES --

SEX / AGE --

BEHAVIOR --

VOICE --

BODY --

LEGS / FEET --

HABITAT --

WEATHER CONDITIONS

ADDITIONAL NOTES --

MONTH SPOTTED

J	F	M	A	M	J	J	A	S	O	N	D

PHOTO / SKETCH

LOCATION

LOCATION NAME ....

GPS COORDINATES ....

HEAD

SPECIES ....

SEX / AGE ....

BEHAVIOR ....

VOICE ....

BODY ....

LEGS / FEET ....

HABITAT ....

ADDITIONAL NOTES ....

....

....

....

....

....

....

WEATHER CONDITIONS

MONTH SPOTTED

J	F	M	A	M	J	J	A	S	O	N	D

PHOTO / SKETCH

LOCATION

LOCATION NAME _____

GPS COORDINATES _____

HEAD

SPECIES _____

SEX / AGE _____

BEHAVIOR _____

VOICE _____

BODY _____

LEGS / FEET _____

HABITAT _____

WEATHER CONDITIONS

ADDITIONAL NOTES _____

_____

_____

_____

_____

_____

MONTH SPOTTED

J	F	M	A	M	J	J	A	S	O	N	D

PHOTO / SKETCH

LOCATION

LOCATION NAME

GPS COORDINATES

WEATHER CONDITIONS

MONTH SPOTTED

J	F	M	A	M	J	J	A	S	O	N	D

HEAD

SPECIES

SEX / AGE

BEHAVIOR

VOICE

BODY

LEGS / FEET

HABITAT

ADDITIONAL NOTES

PHOTO / SKETCH

LOCATION

LOCATION NAME _____

GPS COORDINATES _____

WEATHER CONDITIONS

MONTH SPOTTED

J	F	M	A	M	J	J	A	S	O	N	D

HEAD

SPECIES _____

SEX / AGE _____

BEHAVIOR _____

VOICE _____

BODY _____

LEGS / FEET _____

HABITAT _____

ADDITIONAL NOTES _____
_____
_____
_____
_____
_____

PHOTO / SKETCH

LOCATION

LOCATION NAME _____

GPS COORDINATES _____

WEATHER CONDITIONS

MONTH SPOTTED

J	F	M	A	M	J	J	A	S	O	N	D

HEAD

SPECIES _____

SEX / AGE _____

BEHAVIOR _____

VOICE _____

BODY _____

LEGS / FEET _____

HABITAT _____

ADDITIONAL NOTES _____

_____

_____

_____

_____

_____

PHOTO / SKETCH

LOCATION

LOCATION NAME _____

GPS COORDINATES _____

WEATHER CONDITIONS

MONTH SPOTTED

J	F	M	A	M	J	J	A	S	O	N	D

HEAD

SPECIES _____

SEX / AGE _____

BEHAVIOR _____

VOICE _____

BODY _____

LEGS / FEET _____

HABITAT _____

ADDITIONAL NOTES _____

_____

_____

_____

_____

_____

PHOTO / SKETCH

LOCATION

LOCATION NAME _____

GPS COORDINATES _____

WEATHER CONDITIONS

🌡 ____ ☀ ⛅ 🌧 ⛈ ❄

🚩 ____ ☐ ☐ ☐ ☐ ☐

MONTH SPOTTED

J	F	M	A	M	J	J	A	S	O	N	D

HEAD

SPECIES _____

SEX / AGE _____

BEHAVIOR _____

VOICE _____

BODY _____

LEGS / FEET _____

HABITAT _____

ADDITIONAL NOTES _____

_____

_____

_____

_____

_____

PHOTO / SKETCH

LOCATION

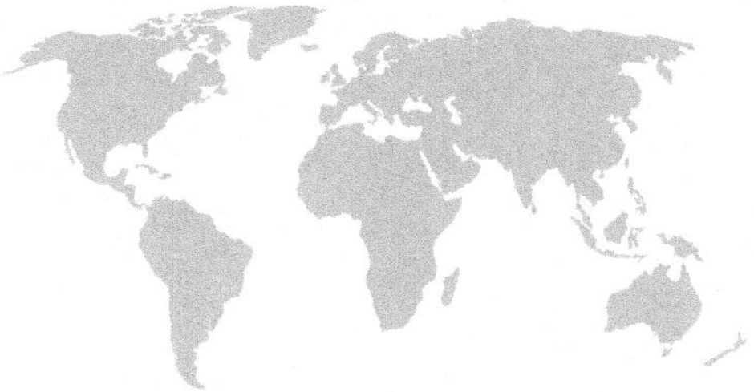

LOCATION NAME

GPS COORDINATES

WEATHER CONDITIONS

MONTH SPOTTED

J	F	M	A	M	J	J	A	S	O	N	D

HEAD

SPECIES

SEX / AGE

BEHAVIOR

VOICE

BODY

LEGS / FEET

HABITAT

ADDITIONAL NOTES

PHOTO / SKETCH

LOCATION

LOCATION NAME _____

GPS COORDINATES _____

HEAD

SPECIES _____

SEX / AGE _____

BEHAVIOR _____

VOICE _____

BODY _____

LEGS / FEET _____

HABITAT _____

WEATHER CONDITIONS

ADDITIONAL NOTES _____

_____

_____

_____

_____

_____

MONTH SPOTTED

J	F	M	A	M	J	J	A	S	O	N	D

PHOTO / SKETCH

LOCATION

LOCATION NAME ....

GPS COORDINATES ....

WEATHER CONDITIONS

MONTH SPOTTED

J	F	M	A	M	J	J	A	S	O	N	D

HEAD

SPECIES ....

SEX / AGE ....

BEHAVIOR ....

VOICE ....

BODY ....

LEGS / FEET ....

HABITAT ....

ADDITIONAL NOTES ....

....

....

....

....

....

PHOTO / SKETCH

LOCATION

LOCATION NAME ....

GPS COORDINATES ....

WEATHER CONDITIONS

MONTH SPOTTED

J	F	M	A	M	J	J	A	S	O	N	D

HEAD

SPECIES ....

SEX / AGE ....

BEHAVIOR ....

VOICE ....

BODY ....

LEGS / FEET ....

HABITAT ....

ADDITIONAL NOTES ....

PHOTO / SKETCH

LOCATION

LOCATION NAME

GPS COORDINATES

WEATHER CONDITIONS

MONTH SPOTTED

J	F	M	A	M	J	J	A	S	O	N	D

HEAD

SPECIES

SEX / AGE

BEHAVIOR

VOICE

BODY

LEGS / FEET

HABITAT

ADDITIONAL NOTES

PHOTO / SKETCH

LOCATION

LOCATION NAME ----------------------------------

GPS COORDINATES ----------------------------------

WEATHER CONDITIONS

MONTH SPOTTED

	J	F	M	A	M	J	J	A	S	O	N	D

HEAD

SPECIES ----------------------------------

SEX / AGE ----------------------------------

BEHAVIOR ----------------------------------

VOICE ----------------------------------

BODY ----------------------------------

LEGS / FEET ----------------------------------

HABITAT ----------------------------------

ADDITIONAL NOTES ----------------------------------

PHOTO / SKETCH

LOCATION

LOCATION NAME _____

GPS COORDINATES _____

WEATHER CONDITIONS

MONTH SPOTTED

J	F	M	A	M	J	J	A	S	O	N	D

HEAD

SPECIES _____

SEX / AGE _____

BEHAVIOR _____

VOICE _____

BODY _____

LEGS / FEET _____

HABITAT _____

ADDITIONAL NOTES _____

_____

_____

_____

_____

_____

PHOTO / SKETCH

LOCATION

LOCATION NAME _____

GPS COORDINATES _____

WEATHER CONDITIONS

MONTH SPOTTED

	J	F	M	A	M	J	J	A	S	O	N	D

HEAD

SPECIES _____

SEX / AGE _____

BEHAVIOR _____

VOICE _____

BODY _____

LEGS / FEET _____

HABITAT _____

ADDITIONAL NOTES _____

_____

_____

_____

_____

_____

PHOTO / SKETCH

LOCATION

HEAD

SPECIES ....

SEX / AGE ....

BEHAVIOR ....

VOICE ....

LOCATION NAME .... BODY ....

GPS COORDINATES .... LEGS / FEET ....

HABITAT ....

WEATHER CONDITIONS

ADDITIONAL NOTES ....

....

....

....

MONTH SPOTTED

J	F	M	A	M	J	J	A	S	O	N	D

....

....

PHOTO / SKETCH

LOCATION

LOCATION NAME _____

GPS COORDINATES _____

WEATHER CONDITIONS

MONTH SPOTTED

J	F	M	A	M	J	J	A	S	O	N	D

HEAD

SPECIES _____

SEX / AGE _____

BEHAVIOR _____

VOICE _____

BODY _____

LEGS / FEET _____

HABITAT _____

ADDITIONAL NOTES _____

_____

_____

_____

_____

_____

PHOTO / SKETCH

LOCATION

LOCATION NAME _____

GPS COORDINATES _____

HEAD

SPECIES _____

SEX / AGE _____

BEHAVIOR _____

VOICE _____

BODY _____

LEGS / FEET _____

HABITAT _____

WEATHER CONDITIONS

ADDITIONAL NOTES _____

_____

_____

_____

_____

_____

MONTH SPOTTED

J	F	M	A	M	J	J	A	S	O	N	D

PHOTO / SKETCH

LOCATION

LOCATION NAME

GPS COORDINATES

WEATHER CONDITIONS

MONTH SPOTTED

J	F	M	A	M	J	J	A	S	O	N	D

HEAD

SPECIES

SEX / AGE

BEHAVIOR

VOICE

BODY

LEGS / FEET

HABITAT

ADDITIONAL NOTES

PHOTO / SKETCH

LOCATION

HEAD

SPECIES _____

SEX / AGE _____

BEHAVIOR _____

VOICE _____

LOCATION NAME _____

BODY _____

GPS COORDINATES _____

LEGS / FEET _____

HABITAT _____

WEATHER CONDITIONS

ADDITIONAL NOTES _____

_____

_____

_____

_____

_____

MONTH SPOTTED

J	F	M	A	M	J	J	A	S	O	N	D

PHOTO / SKETCH

LOCATION

LOCATION NAME _____

GPS COORDINATES _____

WEATHER CONDITIONS

MONTH SPOTTED

	J	F	M	A	M	J	J	A	S	O	N	D

HEAD

SPECIES _____

SEX / AGE _____

BEHAVIOR _____

VOICE _____

BODY _____

LEGS / FEET _____

HABITAT _____

ADDITIONAL NOTES _____

_____

_____

_____

_____

_____

PHOTO / SKETCH

LOCATION

LOCATION NAME _____

GPS COORDINATES _____

WEATHER CONDITIONS

MONTH SPOTTED

J	F	M	A	M	J	J	A	S	O	N	D

HEAD

SPECIES _____

SEX / AGE _____

BEHAVIOR _____

VOICE _____

BODY _____

LEGS / FEET _____

HABITAT _____

ADDITIONAL NOTES _____

_____

_____

_____

_____

_____

PHOTO / SKETCH

LOCATION

LOCATION NAME

GPS COORDINATES

WEATHER CONDITIONS

MONTH SPOTTED

	J	F	M	A	M	J	J	A	S	O	N	D

HEAD

SPECIES

SEX / AGE

BEHAVIOR

VOICE

BODY

LEGS / FEET

HABITAT

ADDITIONAL NOTES

PHOTO / SKETCH

LOCATION

HEAD

SPECIES ....

SEX / AGE ....

BEHAVIOR ....

VOICE ....

LOCATION NAME ....

BODY ....

GPS COORDINATES ....

LEGS / FEET ....

HABITAT ....

WEATHER CONDITIONS

ADDITIONAL NOTES ....

....

....

....

....

....

MONTH SPOTTED

J	F	M	A	M	J	J	A	S	O	N	D

PHOTO / SKETCH

LOCATION

LOCATION NAME

GPS COORDINATES

WEATHER CONDITIONS

MONTH SPOTTED

J	F	M	A	M	J	J	A	S	O	N	D

HEAD

SPECIES

SEX / AGE

BEHAVIOR

VOICE

BODY

LEGS / FEET

HABITAT

ADDITIONAL NOTES

PHOTO / SKETCH

LOCATION

LOCATION NAME

GPS COORDINATES

WEATHER CONDITIONS

MONTH SPOTTED

J	F	M	A	M	J	J	A	S	O	N	D

HEAD

SPECIES

SEX / AGE

BEHAVIOR

VOICE

BODY

LEGS / FEET

HABITAT

ADDITIONAL NOTES

PHOTO / SKETCH

LOCATION

LOCATION NAME _____

GPS COORDINATES _____

WEATHER CONDITIONS

MONTH SPOTTED

	J	F	M	A	M	J	J	A	S	O	N	D

HEAD

SPECIES _____

SEX / AGE _____

BEHAVIOR _____

VOICE _____

BODY _____

LEGS / FEET _____

HABITAT _____

ADDITIONAL NOTES _____

_____

_____

_____

_____

_____

PHOTO / SKETCH

LOCATION

LOCATION NAME ------------------------------

GPS COORDINATES ------------------------------

HEAD

SPECIES ------------------------------

SEX / AGE ------------------------------

BEHAVIOR ------------------------------

VOICE ------------------------------

BODY ------------------------------

LEGS / FEET ------------------------------

HABITAT ------------------------------

WEATHER CONDITIONS

ADDITIONAL NOTES ------------------------------

MONTH SPOTTED

J	F	M	A	M	J	J	A	S	O	N	D

PHOTO / SKETCH

LOCATION

LOCATION NAME ....

GPS COORDINATES ....

WEATHER CONDITIONS

MONTH SPOTTED

J	F	M	A	M	J	J	A	S	O	N	D

HEAD

SPECIES ....

SEX / AGE ....

BEHAVIOR ....

VOICE ....

BODY ....

LEGS / FEET ....

HABITAT ....

ADDITIONAL NOTES ....

....

....

....

....

....

PHOTO / SKETCH

LOCATION

LOCATION NAME _____

GPS COORDINATES _____

HEAD

SPECIES _____

SEX / AGE _____

BEHAVIOR _____

VOICE _____

BODY _____

LEGS / FEET _____

HABITAT _____

WEATHER CONDITIONS

ADDITIONAL NOTES _____

_____

_____

_____

_____

_____

MONTH SPOTTED

J	F	M	A	M	J	J	A	S	O	N	D

PHOTO / SKETCH

LOCATION

LOCATION NAME

GPS COORDINATES

WEATHER CONDITIONS

MONTH SPOTTED

	J	F	M	A	M	J	J	A	S	O	N	D

HEAD

SPECIES

SEX / AGE

BEHAVIOR

VOICE

BODY

LEGS / FEET

HABITAT

ADDITIONAL NOTES

PHOTO / SKETCH

LOCATION

LOCATION NAME ....

GPS COORDINATES ....

WEATHER CONDITIONS

MONTH SPOTTED

	J	F	M	A	M	J	J	A	S	O	N	D

HEAD

SPECIES ....

SEX / AGE ....

BEHAVIOR ....

VOICE ....

BODY ....

LEGS / FEET ....

HABITAT ....

ADDITIONAL NOTES ....

....

....

....

....

....

PHOTO / SKETCH

LOCATION

LOCATION NAME ....

GPS COORDINATES ....

WEATHER CONDITIONS

MONTH SPOTTED

J	F	M	A	M	J	J	A	S	O	N	D

HEAD

SPECIES ....

SEX / AGE ....

BEHAVIOR ....

VOICE ....

BODY ....

LEGS / FEET ....

HABITAT ....

ADDITIONAL NOTES ....

....

....

....

....

....

PHOTO / SKETCH

LOCATION

HEAD

SPECIES _____

SEX / AGE _____

BEHAVIOR _____

VOICE _____

LOCATION NAME _____

BODY _____

GPS COORDINATES _____

LEGS / FEET _____

HABITAT _____

WEATHER CONDITIONS

ADDITIONAL NOTES _____

_____

_____

MONTH SPOTTED

J	F	M	A	M	J	J	A	S	O	N	D

_____

_____

LOCATION

LOCATION NAME ....

GPS COORDINATES ....

WEATHER CONDITIONS

MONTH SPOTTED

J	F	M	A	M	J	J	A	S	O	N	D

HEAD

SPECIES ....

SEX / AGE ....

BEHAVIOR ....

VOICE ....

BODY ....

LEGS / FEET ....

HABITAT ....

ADDITIONAL NOTES ....

....

....

....

....

....

PHOTO / SKETCH

LOCATION

LOCATION NAME _____

GPS COORDINATES _____

WEATHER CONDITIONS

MONTH SPOTTED

J	F	M	A	M	J	J	A	S	O	N	D

HEAD

SPECIES _____

SEX / AGE _____

BEHAVIOR _____

VOICE _____

BODY _____

LEGS / FEET _____

HABITAT _____

ADDITIONAL NOTES _____

_____

_____

_____

_____

_____

PHOTO / SKETCH

LOCATION

LOCATION NAME

GPS COORDINATES

WEATHER CONDITIONS

MONTH SPOTTED

J	F	M	A	M	J	J	A	S	O	N	D

HEAD

SPECIES

SEX / AGE

BEHAVIOR

VOICE

BODY

LEGS / FEET

HABITAT

ADDITIONAL NOTES

PHOTO / SKETCH

LOCATION

HEAD

SPECIES _____

SEX / AGE _____

BEHAVIOR _____

VOICE _____

LOCATION NAME _____

BODY _____

GPS COORDINATES _____

LEGS / FEET _____

HABITAT _____

WEATHER CONDITIONS

ADDITIONAL NOTES _____

_____

_____

MONTH SPOTTED

J	F	M	A	M	J	J	A	S	O	N	D

_____

_____

_____

PHOTO / SKETCH

LOCATION

LOCATION NAME _____

GPS COORDINATES _____

HEAD

SPECIES _____

SEX / AGE _____

BEHAVIOR _____

VOICE _____

BODY _____

LEGS / FEET _____

HABITAT _____

WEATHER CONDITIONS

ADDITIONAL NOTES _____

_____

_____

_____

_____

_____

MONTH SPOTTED

J	F	M	A	M	J	J	A	S	O	N	D

PHOTO / SKETCH

LOCATION

LOCATION NAME ....

GPS COORDINATES ....

WEATHER CONDITIONS

MONTH SPOTTED

J	F	M	A	M	J	J	A	S	O	N	D

HEAD

SPECIES ....

SEX / AGE ....

BEHAVIOR ....

VOICE ....

BODY ....

LEGS / FEET ....

HABITAT ....

ADDITIONAL NOTES ....

....

....

....

....

....

PHOTO / SKETCH

LOCATION

HEAD

SPECIES ---------------------------------

SEX / AGE ---------------------------------

BEHAVIOR ---------------------------------

VOICE ---------------------------------

LOCATION NAME ---------------------------------

BODY ---------------------------------

GPS COORDINATES ---------------------------------

LEGS / FEET ---------------------------------

HABITAT ---------------------------------

WEATHER CONDITIONS

ADDITIONAL NOTES ---------------------------------

MONTH SPOTTED

J	F	M	A	M	J	J	A	S	O	N	D

PHOTO / SKETCH

LOCATION

LOCATION NAME _____

GPS COORDINATES _____

WEATHER CONDITIONS

MONTH SPOTTED

J	F	M	A	M	J	J	A	S	O	N	D

HEAD

SPECIES _____

SEX / AGE _____

BEHAVIOR _____

VOICE _____

BODY _____

LEGS / FEET _____

HABITAT _____

ADDITIONAL NOTES _____

_____

_____

_____

_____

_____

LOCATION

LOCATION NAME

GPS COORDINATES

WEATHER CONDITIONS

MONTH SPOTTED

J	F	M	A	M	J	J	A	S	O	N	D

HEAD

SPECIES

SEX / AGE

BEHAVIOR

VOICE

BODY

LEGS / FEET

HABITAT

ADDITIONAL NOTES

PHOTO / SKETCH

LOCATION

LOCATION NAME _____

GPS COORDINATES _____

WEATHER CONDITIONS

MONTH SPOTTED

J	F	M	A	M	J	J	A	S	O	N	D

HEAD

SPECIES _____

SEX / AGE _____

BEHAVIOR _____

VOICE _____

BODY _____

LEGS / FEET _____

HABITAT _____

ADDITIONAL NOTES _____

PHOTO / SKETCH

LOCATION

LOCATION NAME

GPS COORDINATES

WEATHER CONDITIONS

MONTH SPOTTED

	J	F	M	A	M	J	J	A	S	O	N	D

HEAD

SPECIES

SEX / AGE

BEHAVIOR

VOICE

BODY

LEGS / FEET

HABITAT

ADDITIONAL NOTES

PHOTO / SKETCH

LOCATION

LOCATION NAME _____

GPS COORDINATES _____

WEATHER CONDITIONS

MONTH SPOTTED

	J	F	M	A	M	J	J	A	S	O	N	D

HEAD

SPECIES _____

SEX / AGE _____

BEHAVIOR _____

VOICE _____

BODY _____

LEGS / FEET _____

HABITAT _____

ADDITIONAL NOTES _____

_____

_____

_____

_____

_____

PHOTO / SKETCH

LOCATION

LOCATION NAME _____

GPS COORDINATES _____

WEATHER CONDITIONS

MONTH SPOTTED

J	F	M	A	M	J	J	A	S	O	N	D

HEAD

SPECIES _____

SEX / AGE _____

BEHAVIOR _____

VOICE _____

BODY _____

LEGS / FEET _____

HABITAT _____

ADDITIONAL NOTES _____

_____

_____

_____

_____

_____

PHOTO / SKETCH

LOCATION

LOCATION NAME

GPS COORDINATES

HEAD

SPECIES

SEX / AGE

BEHAVIOR

VOICE

BODY

LEGS / FEET

HABITAT

WEATHER CONDITIONS

ADDITIONAL NOTES

MONTH SPOTTED

J	F	M	A	M	J	J	A	S	O	N	D

PHOTO / SKETCH

LOCATION

LOCATION NAME _____

GPS COORDINATES _____

WEATHER CONDITIONS

MONTH SPOTTED

	J	F	M	A	M	J	J	A	S	O	N	D

HEAD

SPECIES _____

SEX / AGE _____

BEHAVIOR _____

VOICE _____

BODY _____

LEGS / FEET _____

HABITAT _____

ADDITIONAL NOTES _____

_____

_____

_____

_____

_____

PHOTO / SKETCH

LOCATION

LOCATION NAME _____

GPS COORDINATES _____

WEATHER CONDITIONS

MONTH SPOTTED

J	F	M	A	M	J	J	A	S	O	N	D

HEAD

SPECIES _____

SEX / AGE _____

BEHAVIOR _____

VOICE _____

BODY _____

LEGS / FEET _____

HABITAT _____

ADDITIONAL NOTES _____

_____

_____

_____

_____

_____

PHOTO / SKETCH

LOCATION

LOCATION NAME ----------------------------------

GPS COORDINATES -------------------------------

WEATHER CONDITIONS

MONTH SPOTTED

	J	F	M	A	M	J	J	A	S	O	N	D

HEAD

SPECIES ---

SEX / AGE ---------------------------------------

BEHAVIOR --

VOICE ---

BODY --

LEGS / FEET -------------------------------------

HABITAT ---

ADDITIONAL NOTES -------------------------------

PHOTO / SKETCH

LOCATION

LOCATION NAME

GPS COORDINATES

WEATHER CONDITIONS

MONTH SPOTTED

J	F	M	A	M	J	J	A	S	O	N	D

HEAD

SPECIES

SEX / AGE

BEHAVIOR

VOICE

BODY

LEGS / FEET

HABITAT

ADDITIONAL NOTES

PHOTO / SKETCH

LOCATION

LOCATION NAME _____

GPS COORDINATES _____

WEATHER CONDITIONS

MONTH SPOTTED

J	F	M	A	M	J	J	A	S	O	N	D

HEAD

SPECIES _____

SEX / AGE _____

BEHAVIOR _____

VOICE _____

BODY _____

LEGS / FEET _____

HABITAT _____

ADDITIONAL NOTES _____

_____

_____

_____

_____

_____

PHOTO / SKETCH

LOCATION

LOCATION NAME _____

GPS COORDINATES _____

HEAD

SPECIES _____

SEX / AGE _____

BEHAVIOR _____

VOICE _____

BODY _____

LEGS / FEET _____

HABITAT _____

WEATHER CONDITIONS

ADDITIONAL NOTES _____

_____

_____

_____

_____

MONTH SPOTTED

J	F	M	A	M	J	J	A	S	O	N	D

PHOTO / SKETCH

LOCATION

LOCATION NAME _____

GPS COORDINATES _____

WEATHER CONDITIONS

MONTH SPOTTED

	J	F	M	A	M	J	J	A	S	O	N	D

HEAD

SPECIES _____

SEX / AGE _____

BEHAVIOR _____

VOICE _____

BODY _____

LEGS / FEET _____

HABITAT _____

ADDITIONAL NOTES _____

_____

_____

_____

_____

_____

PHOTO / SKETCH

LOCATION

LOCATION NAME _____

GPS COORDINATES _____

HEAD

SPECIES _____

SEX / AGE _____

BEHAVIOR _____

VOICE _____

BODY _____

LEGS / FEET _____

HABITAT _____

WEATHER CONDITIONS

ADDITIONAL NOTES _____

_____

_____

_____

_____

_____

MONTH SPOTTED

J	F	M	A	M	J	J	A	S	O	N	D

PHOTO / SKETCH

LOCATION

LOCATION NAME _____

GPS COORDINATES _____

WEATHER CONDITIONS

🌡 _____ ☀ ⛅ 🌧 ⛈ ❄

🎐 _____ ☐ ☐ ☐ ☐ ☐

MONTH SPOTTED

J	F	M	A	M	J	J	A	S	O	N	D

HEAD

SPECIES _____

SEX / AGE _____

BEHAVIOR _____

VOICE _____

BODY _____

LEGS / FEET _____

HABITAT _____

ADDITIONAL NOTES _____

_____

_____

_____

_____

_____

PHOTO / SKETCH

LOCATION

LOCATION NAME

GPS COORDINATES

WEATHER CONDITIONS

MONTH SPOTTED

J	F	M	A	M	J	J	A	S	O	N	D

HEAD

SPECIES

SEX / AGE

BEHAVIOR

VOICE

BODY

LEGS / FEET

HABITAT

ADDITIONAL NOTES

PHOTO / SKETCH

LOCATION

LOCATION NAME _____

GPS COORDINATES _____

WEATHER CONDITIONS

MONTH SPOTTED

	J	F	M	A	M	J	J	A	S	O	N	D

HEAD

SPECIES _____

SEX / AGE _____

BEHAVIOR _____

VOICE _____

BODY _____

LEGS / FEET _____

HABITAT _____

ADDITIONAL NOTES _____

_____

_____

_____

_____

_____

PHOTO / SKETCH

LOCATION

LOCATION NAME _____

GPS COORDINATES _____

WEATHER CONDITIONS

☀ ⛅ 🌧 ⛈ ❄

□ □ □ □ □

MONTH SPOTTED

	J	F	M	A	M	J	J	A	S	O	N	D

HEAD

SPECIES _____

SEX / AGE _____

BEHAVIOR _____

VOICE _____

BODY _____

LEGS / FEET _____

HABITAT _____

ADDITIONAL NOTES _____

_____

_____

_____

_____

_____

PHOTO / SKETCH

LOCATION

LOCATION NAME

GPS COORDINATES

WEATHER CONDITIONS

MONTH SPOTTED

J	F	M	A	M	J	J	A	S	O	N	D

HEAD

SPECIES

SEX / AGE

BEHAVIOR

VOICE

BODY

LEGS / FEET

HABITAT

ADDITIONAL NOTES

PHOTO / SKETCH

LOCATION

LOCATION NAME ....

GPS COORDINATES ....

WEATHER CONDITIONS

MONTH SPOTTED

	J	F	M	A	M	J	J	A	S	O	N	D

HEAD

SPECIES ....

SEX / AGE ....

BEHAVIOR ....

VOICE ....

BODY ....

LEGS / FEET ....

HABITAT ....

ADDITIONAL NOTES ....

....

....

....

....

....

PHOTO / SKETCH

LOCATION

LOCATION NAME

GPS COORDINATES

WEATHER CONDITIONS

MONTH SPOTTED

	J	F	M	A	M	J	J	A	S	O	N	D

HEAD

SPECIES

SEX / AGE

BEHAVIOR

VOICE

BODY

LEGS / FEET

HABITAT

ADDITIONAL NOTES

PHOTO / SKETCH

LOCATION

LOCATION NAME ------------------------------

GPS COORDINATES ------------------------------

WEATHER CONDITIONS

MONTH SPOTTED

J	F	M	A	M	J	J	A	S	O	N	D

HEAD

SPECIES ------------------------------

SEX / AGE ------------------------------

BEHAVIOR ------------------------------

VOICE ------------------------------

BODY ------------------------------

LEGS / FEET ------------------------------

HABITAT ------------------------------

ADDITIONAL NOTES ------------------------------

PHOTO / SKETCH

LOCATION

LOCATION NAME _____

GPS COORDINATES _____

WEATHER CONDITIONS

MONTH SPOTTED

J	F	M	A	M	J	J	A	S	O	N	D

HEAD

SPECIES _____

SEX / AGE _____

BEHAVIOR _____

VOICE _____

BODY _____

LEGS / FEET _____

HABITAT _____

ADDITIONAL NOTES _____

_____

_____

_____

_____

_____

_____

PHOTO / SKETCH

LOCATION

LOCATION NAME _____

GPS COORDINATES _____

WEATHER CONDITIONS

MONTH SPOTTED

	J	F	M	A	M	J	J	A	S	O	N	D

HEAD

SPECIES _____

SEX / AGE _____

BEHAVIOR _____

VOICE _____

BODY _____

LEGS / FEET _____

HABITAT _____

ADDITIONAL NOTES _____

_____

_____

_____

_____

_____

PHOTO / SKETCH

LOCATION

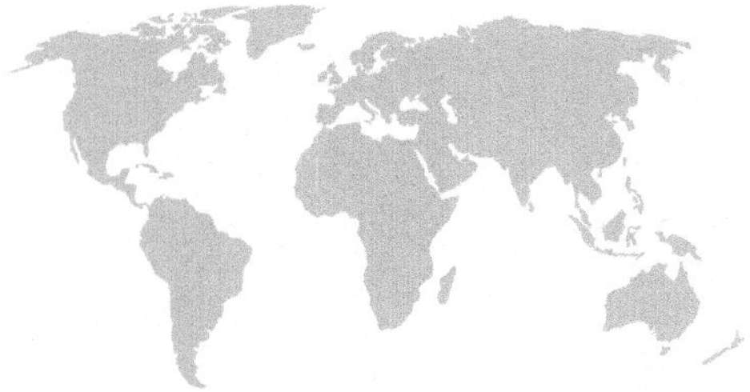

LOCATION NAME _____

GPS COORDINATES _____

WEATHER CONDITIONS

MONTH SPOTTED

	J	F	M	A	M	J	J	A	S	O	N	D

HEAD

SPECIES _____

SEX / AGE _____

BEHAVIOR _____

VOICE _____

BODY _____

LEGS / FEET _____

HABITAT _____

ADDITIONAL NOTES _____

_____

_____

_____

_____

_____

PHOTO / SKETCH

LOCATION

LOCATION NAME ....

GPS COORDINATES ....

WEATHER CONDITIONS

MONTH SPOTTED

J	F	M	A	M	J	J	A	S	O	N	D

HEAD

SPECIES ....

SEX / AGE ....

BEHAVIOR ....

VOICE ....

BODY ....

LEGS / FEET ....

HABITAT ....

ADDITIONAL NOTES ....

....

....

....

....

....

PHOTO / SKETCH

LOCATION

LOCATION NAME _____

GPS COORDINATES _____

WEATHER CONDITIONS

MONTH SPOTTED

J	F	M	A	M	J	J	A	S	O	N	D

HEAD

SPECIES _____

SEX / AGE _____

BEHAVIOR _____

VOICE _____

BODY _____

LEGS / FEET _____

HABITAT _____

ADDITIONAL NOTES _____

_____

_____

_____

_____

_____